D0308319

Madame Poipoi
Monsieur Henri
Gino Marto
Rémi Lepoivre
Adrien Dubouchon
Mélanie Lano

Tom-Tom et Nana

Abracada... boum !

Scénario : Jacqueline Cohen, Evelyne Reberg.

Dessins : Bernadette Desprès - Couleurs : Catherine Legrand.

Seizième édition, septembre 2007

ISBN: 978-2-7470-1394-9
Dépôt légal: janvier 2004

Imprimé en Pologne
Les aventures de Tom-Tom et Nana sont publiées
chaque mois dans *J'aime Lire*,
le journal pour aimer lire.
J'aime Lire, 3 rue Bayard, 75008 Paris

Nana craque!

Les parents ! Ils s'en vont au cinéma !
Ben oui, et alors ?
Et Marilou est sortie !
Bonne nuit, les enfants !
Soyez sages !
NOOOOON ! Arrêtez !
Ne nous laissez pas tout seuls !
Enfin, Nana ! Pour une fois qu'on sort !
Je vous interdis !
Oh, là, là !
186-2

D'abord j'ai mal au ventre ! Je tousse ! J'ai faim ! Ça me gratte partout !
Pauvre chérie...

Elle va nous faire rater la séance !

Tom-Tom ! Viens t'occuper de ta soeur !
Je cours, je vole !

Emmène-la se coucher !
Et sois gentil avec elle, hein !

Comptez sur moi !
Sniff !

Monstres ! Coeurs de pierre ! J'espère que le film sera nul !

186-3

Tu es une grande fille, voyons!
Pfffff!
Mais j'ai peur la nuit...
De quoi? J'ai mon équipement, regarde!
Désintégrateur de fantômes!
Taka-Taka Tak...
Eliminateur de sorcières!
Pchiouf! Pchiouf!
Attrape-rats!
PAAF!
Ail, contre les vampires, poivre contre les cambrioleurs!
Et casque... en cas de tremblement de terre!
13
186-4

Tu vois, tu peux dormir sur tes deux oreilles ! J'éteins...
CLIC !
Nooooon ! Laisse la lumière !!!

Bon. Je ferme les yeux. Bonne nuit !

Tu dors déjà ?
Oui, profondément !

Tu n'entends rien ?
Bzz...
Rien du tout !

Je peux venir dans ton lit ?
Ah, non ! Tu n'es pas un bébé, tout de même !

186-5

Mais écoute... Y a un bruit!
C'est une mouche! Pas de problème...
BZZZ...

BZZZ...
Elle m'attaque!

Tue-la, tue-la!
BZZZZZ

A moi, mon épée tue-mouche!!
BZZZZZ

Je vais...
BZZZZZ

... te la tailler...
BZZZZ...

... en miettes!
ZORF
BZZZ

186-6

Elle est morte?
Minute! Je cherche son cadavre...
BZZ

Ouvre la fenêtre, j'ai chaud!
BZZZ
Pfff!

Ça y est! Je l'ai eue!
BZZZZ...

Maintenant, tu dors!

C'est triste d'être toute seule! Tu pourrais bien...
Ce qu'elle m'énerve!

186-7

Tu veux du monde, tu vas en avoir, bébé !

Tiens ! Cochonou, Lapinos, Bibi, Minou, Pompon, Grado...
Merci !

Mais le plus terrible, c'est ce gros silence !!!
Oh, non !

Bon ! Je vais être gentil, je vais chanter...

♪ Fais dodo ♫ Nana ma nanette... ♩♫
Stop ! Arrête !

186-8

Tom-Tom et Nana : abracada... boum

Soudain un... un cri !...
Tu dors ?!?
rrron...
ron...

Hé, Nana ! Parle-moi !

Je peux venir dans ton lit...
Juste une minute ?

Oh, là, là ! Vivement que les parents arrivent !
Rrrrrron...
FIN

(186-10)

La crise de boulichimie

... Des Nougatos ! Des Scrunchies ! Des Milkochocs !
Et des Maboulgums, j'adore !
Hou-là-là !
MILKOCHOCS
SCRUNCHIES
MABOULGUMS
MON FRÈRE

Vous êtes trop gentille, madame Kellmer !
Pensez-donc ! Ça me fait tellement plaisir !
DU JOUR
MILKOCHOCS
MON FRÈRE

185-2

Oh!
Non!
Donnez-moi ces cochonneries!

C'est farci de produits chimiques!!! Ça va vous pourrir les dents, vous coller des boutons...

... et vous faire enfler comme des barriques!
CLAC!

(185-3)

Des produits chimiques?... Et alors !
Ça n'a jamais fait de mal à personne !

Je suis même sûre que ça rend beau et intelligent !
Oui, et on va le prouver !

Je sais où elle a caché nos paquets !
Personne en vue...
Vengeance !

Allons-y !

Opération-récupération réussie !!
CLAC!

185-4

Tom-Tom et Nana : abracada... boum!

185-5

Et hop ! De l'émulsifiant gélatineux !
Miam !
Du colorant C 223... Super !
HOUPS !
SCRUNCHIES

Hé ! Rangez les papiers sous le lit !

C'est bientôt fini ?
Plus qu'un seul paquet !

Chic ! Ça contient du bicarbonate et de la lécithine !
Mmm !

Blurp !... Je me sens un peu... Et vous ?
Hic !

(185-6)

Tom-Tom et Nana : abracada... boum !

185-7

Mais qu'est-ce que vous avez avalé?...
Ooooh...
Ouiiii...
...une goutte!
De l'eau??

De l'eau "Clairette"?

Ils se sont intoxiqués à l'eau "Clairette"!!!
Aaaaah!

Que personne ne boive! Jetez les bouteilles! Jetez les caisses!

185-8

Vite ! Un docteur !
W.C.
Je vais faire un scandale... INTERNATIONAL !!!

Allô !... l'usine Clairette !
PLOOFF !
Tic ! Tic ! Tic !

Le lendemain...
Vous êtes dans le journal, les enfants !
FRANCE-RAGOTS
le mystère de l'eau "Clairette"
USINE FERMÉE
Ah ?
Ben...
Et vous avez une visite...

Je vous apporte quelques friandises...!
Bonne idée ! Ça va leur remonter le moral !

Allez ! Rien qu'un Nougatos !
???
Nooon !
C'est plein de produits chimiques !
Une fois dans le journal, ça nous suffit !
FIN

185-10

Un cadeau chou

C'est l'horreur, les enfants!!
CLAC!
Aïe, aïe, aïe!

Tante Roberte arrive! Vite, faites de la place!

Mais...
Pourquoi?
Elle nous apporte sa dernière oeuvre d'art!

C'est si gros que ça?
Elle a dit: " C'est spectaculaire!"

Oh, là, là! Je crains le pire!

(189-2)

Tom-Tom et Nana : abracada... boum !

La voilà!!! C'est son auto...
Déjà !
IIII...

Erreur!...
C'est elle, dans le camion!
VRRRM!

Fausse alerte!
Ouf!
MÉNAGEMENT
J. GROS BRAS et Cie

189-4

CONVOI
EXCEPTIONNEL
A BONNE FOURCHETTE
BAR-RESTAURANT
Cette fois c'est bien elle !
PIN ! PON !
BRRROOOM !
WAF !
POLICE
POLICE

Malheur ! Elle nous amène la Tour Eiffel !
PRESSING
A LA BONNE FOURCHETTE
CONVOI
EXCEPTIONNEL
IIIII
POLICE

(189-6)

URCHETTE
NOOON! Tu ne...
Merci, jeunes gens!

Bonne route! Et soyez prudents!
BRRROOM!

VRRRRMM!
Ce... ce n'est pas pour nous?
Mais non!

Tu as fait du camion-stop!
Oui! Ça vous épate, hein!

189-6

Tom-Tom et Nana : abracada... boum !

Zut! Je ne trouve plus...

Là, dans ta poche?

Mais oui! que je suis sotte!
Ça tient dans une enveloppe?!?

Hé! Je ne vois rien!
Du calme! Reculez!
Qu'est-ce que c'est?

C'est une crotte de pigeon?
C'est un chou! Un mini-chou!!!
Un vieux chewing-gum?
Passez-moi les jumelles!

(189-8)

C'est pour ça que tu nous as fait tout déménager ?!
Tss, tss ! Attends un peu...

Vous allez être soufflés !

Tom-Tom ! Un verre d'eau, s'il te plaît !

Arrose-moi ce chou, mon chou !

Il pousse !!
Bof !

Mouais...
C'est tout ?
C'est de l'Expansoflex, une matière nouvelle !
Beuh !

(189-9)

Ça devient un million de fois plus gros!

Hé!
Au secours!
Non!
Stop!

Avouez que c'est renversant!
Génial!
Sortez-moi de là!!!
J'étouffe!
FIN
189-10

Chez Dubonchou

Par ici, les gars!
A l'attaque!
Au chou!
Au chou!
??!!
??!!

Qu'est-ce que c'est que cette invasion?

Dehors, la marmaille!
Dehors!
Oh, non!

190-2

Tom-Tom et Nana : abracada... boum !

190-3

Mais! Monsieur Finebouche?...
Ce chou m'a donné une idée!

Une idée de génie!

Vous allez lancer la mode du chou!
Ah?

Cuisinez du chou, rien que du chou!
Pourquoi pas?

Chou vert, blanc, rouge! Chou de Bruxelles! Chou de Chine!
Chou-fleur!
Chou farci!

190-4

Tom-Tom et Nana : abracada... boum !

Le lendemain.
Ça y est!
Regardez!
Tante Roberte va être contente!
Le beau chou qu'elle nous a offert est en première page!
La Feuille de Chou
UN RESTAURANT CHOU

Dire que j'ai failli le bousiller!

Allez! On va faire un triomphe!!!

190-6

CHEZ DUBONCHOU (ex-Dubouchon)
LA FORME, LA SANTÉ
LA BEAUTÉ GRÂCE AU CHOU
BIEN CUISINÉ
FAITES-VOUS CHOU-CHOUTER!!
Mon Dieu, qu'est-ce qui leur prend?
Oh, misère!

Berk!
Pouah!
Menu tout chou et pas cher
Salade de chou
Sauté de chou
purée de chou
Fromage de chou
Sorbet au chou
Hic!

Vous... vous n'entrez pas?
Non, merci!
Je me sens mal...!
Moi, ça me donne de l'urticaire!
Rien que cette odeur...!

190-7

Alors, ces clients?...
Personne, monsieur Dubouchon!

Mais c'est l'horreur!
Qu'est-ce qu'on va faire de tous ces plats de chou?
Du calme, Adrien!

(190-8)

Tom-Tom et Nana : abracada... boum !

190-9

Tante Roberte!
Je vous amène mes amis...
SECTE des ADORATEURS du CHOU

Ô chou sacré! Nous venons t'adorer!
SECTE des ADORATEURS du CHOU
...Je vous préviens, ils mangent de tout, sauf du chou!
Pfffff!
FIN

190-10

Trop, c'est trop !

A nous deux, chou de malheur!
Ecartez-vous les enfants!
Oh, non!
Notre sapin-chou de Noël!
A la place, on mettra un joli petit sapin!
Pouah, un truc riquiqui?
De l'air! Du balai! De la place! Du vide!
191-2

Tom-Tom et Nana : abracada... boum !

(191-3)

Attention, l'Homme s'énerve!
Tout à fait, Tom-Tom!

PLOCK!
CRRAATSCHSCH!!!

Oh! Notre magnifique vitrine!
Le Chou semble imbattable...
Tout à fait, Tom-Tom.
Eurg! J'ai avalé du verre!

191-4

Hé ! J'ai ce qu'il vous faut... Ma tronçonneuse !

Tenez-la fermement... Vous pouvez couper une forêt entière avec ça !
Epatant !

Appuyez sur le bouton !
Oh, là, là, on est cuits !
Nous allons assister à un massacre...
C'est la fin du monde !

VRRRRRAOUM VRRRR...

191-5

Je n'arrive pas à viser...
Où est le chou?

Attention! La table!
VRRR...

Là! Là!
Où? où?
VRRRRRR!!

Je t'aurai, crapule!
VRRR!...

Je l'ai!!!
NOOON! C'est le bar!
VVVRRRAAAOUM!

191-6

Tom-Tom et Nana : abracada... boum !

(191-7)

Tante Roberte ? Justement...

Il faut que je te dise... pour mon chou en Expansoflex...

...Il va bientôt se dégonfler...
Dommage, hein ?
Ça ne tient pas plus de 2 mois, ces trucs-là !
Ça alors !
Hé ! Le chou fond !

191-8

C'est un miracle !

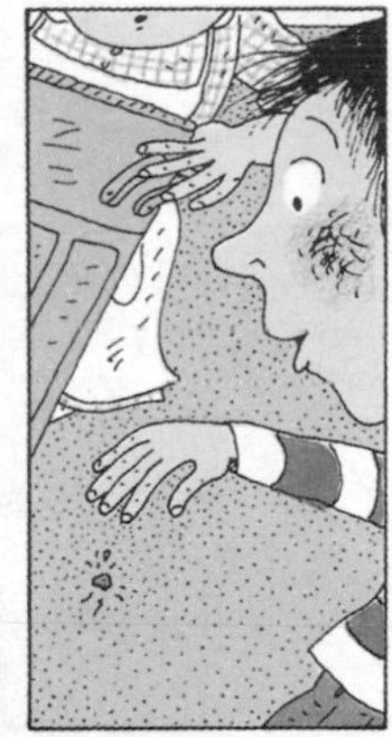

Allez hop !...

...A la poubelle !
Poc !

Tu aurais pu nous prévenir !!!
J'espère que vous n'aurez pas trop de peine...

Pour vous consoler, je vous ai expédié...
Hé ? Tu m'entends ?
Quoi ?!?

Encore un effort!
Ça rentre!
Oh, non! Non!
NOOOON!!

JOYEUX NOËL!
Ooooh! Je rêve!!!
De la part de tante Roberte qui vous adore
Pire que le chou!
Le cauchemar recommence!
FIN

191-10

La galette des fous

J'ai eu trois fois la fève !
Oh!
Bravo!
Quelle chance!

Et toi, Tom-Tom?
zéro fois!

Oh!
Le pauvre!
Comme c'est triste!

Moi, j'ai la fève à tous les coups!
Je n'y peux rien...

... C'est magique!
C'est ce qu'on va voir!

132-2

Tom-Tom et Nana : abracada... boum !

Et hop, ça y est!

La fève!
Incroyable, mais vrai!!!

Elle est reine, et archi-reine!
Félicitations, Majesté!

Vous êtes mon roi!

Et toi, tu es mon esclave!
BING!

132-4

Reine des idiotes !
Je vais te tuer !!
Aaaah ! L'esclave se révolte !
A moi, mon armée, mes fidèles soldats !
Oooh !
Cling !
BOUM !
Elle a les poches pleines de fèves !!!
Regardez ça !
Lâche-moi !
192-5

Tu as mis la fève dans ta bouche!
Avoue!
Pas vrai!

C'est la reine des tricheuses!
Du calme!
Il faut faire un nouveau tirage!

Et cette fois, ce sera un tirage officiel!
Je serai l'arbitre!

Amenez-nous une galette... de compétition!
Les concurrents sont en place!
Tricheuse!
Jaloux!

192-6

Tom-Tom et Nana : abracada... boum !

192-7

Rien?
Toujours rien?
Zéro à zéro!
Mmfff!
Mmfff!

Hurk!
Que se passe-t-il?

Arg! gurg! gurgle!
Elle a la fève!
Elle l'a!
C'est du cinéma!

Je l'ai avalée!
Pauvre chérie!
Elle ment!

Je suis sûr que la fève est encore là!!

192-8

Tom-Tom et Nana : abracada... boum !

192-8

J'ai oublié de mettre les fèves!

Vous auriez pu me le dire!!!

Tu les mangeras toutes, en entier!
Noon, pitié!
Hé?
FIN

192-10

La fête aux frissons

Veux-tu rentrer à la maison!
Pas question!

Maman m'a permis de venir!
Tu es trop petite, voyons!

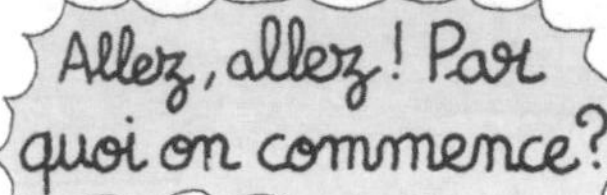
Allez, allez! Par quoi on commence?

On va se traîner cette pleurnicharde?!
T'inquiète pas, je vais la dégoûter...

Tiens, essaie un peu le train fantôme!
TERROR PALACE

183-2

Tom-Tom et Nana : abracada... boum!

183-3

AAAAAAAH!
la pauvre!... On exagère!
Faudra la ramener sur un brancard!

Amateurs de sensations, prenez vos billets!!
TENTACULA
CAISSE
Tu la vois?
Elle doit être en train de vomir...

WAOUH! C'était super! J'en ferais bien dix tours encore!
CAISSE
Oh, non!
Quelle dure à cuire!

183-4

Tom-Tom et Nana : abracada... boum !

183-5

Nana?...
Nana!?
MAGIE NOIRE

WAFF!
Elle... elle l'a transformée en chien!!!
MAGIE NOIRE

Pas possible!
C'est toi, Nana...??
WAFF!

C'est elle, je te jure, ça lui ressemble!
WAFF!

Aaah! Elle me mord!
Tu vois! Ça ne trompe pas, c'est elle!!!

Qu'est-ce que tu vas dire à tes parents?

183-6

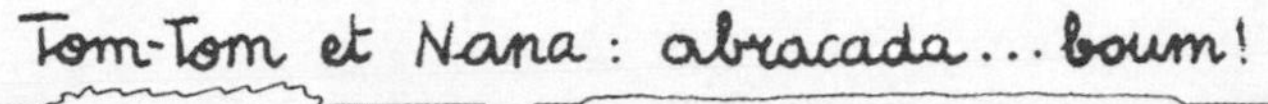
Tom-Tom et Nana : abracada... boum!

Lâche-moi!
Veux-tu laisser ton frère!

Psst! Viens par ici, ma poulette!!
WAF!

Que faites-vous là, les enfants?
Je... je... j'attends ma soeur!
La petite blonde?

Elle est partie depuis longtemps!...
Slurp! Slurp!

... Par là, derrière évidemment!
SORTIE
ENTRÉE

En fait, elle était nulle cette magicienne!
Oui... et maintenant on a perdu ma soeur!

188-7

Les parents vont me massacrer !
Pff ! Dire qu'on était partis pour s'amuser...
BOUM !

Mais... c'est elle, là-bas !
POUM !

Vite, elle va tuer quelqu'un !
CLIC ! CLIC !
POUET !

?
Oh, pardon ! Je...
Voyous !
Aïe !

Tiens, ça t'apprendra !
PAF !

Écoute ça !!
Une fillette avec des couettes attend ses parents au...
POSTE DE

183-8

Tom-Tom et Nana : abracada... boum !

(183-9)

?!?
Vous voilà !!! Regardez, je suis passée par la loterie !
Pouet!

Madame Irma m'a donné un porte-bonheur extra !
Je n'ai pas arrêté de gagner !
CHANCE

Ah, ce qu'on a bien rigolé !!! On y retourne demain, hein, promis, juré, craché !
FIN

183-10

Une bonne équipe

Devinez qui est dans la salle ?
Kriss de Banane !
Sans blague ?
Lui ?!
Non !?

Mais oui !!... Ça m'en a tout l'air !
Il a changé de coiffure !
Mais c'est bien son nez !

Kriss de Banane ! ...Le grand présentateur de la télé, ici, chez nous !
C'est fou !

184.2

Tom-Tom et Nana : abracada... boum !

184.3

Reprenez donc une mignonnette de saumon, Majesté !
Un peu de salade Pompadour ?

Oh ! Mmm ! Mmm !

Place aux desserts !!
?
Chouquette royale...
... Et Charlotte impériale !

Ah ! Mmm... mm...

Alors, vous avez aimé ?
C'était giga !
Burp !

184.4

Tom-Tom et Nana : abracada... boum !

184-5

Ya-hou! C'est gagné!
La Bonne Fourchette va être célèbre dans le monde entier!
CLAC!
Hourrah!

Qu'est-ce qui vous prend?

Enfin! Vous n'avez pas vu? C'était Kriss de Banane, en chair et en os!
?
?

Tiens, tiens!
C'est bête, je ne l'ai pas reconnu...
Il va nous filmer, ce soir...
... en direct!!!

Tom-Tom et Nana : abracada... boum !

184-7

Bon sang !... Qu'est-ce que c'est que ce carnaval ?!?

Oh !

(184-8)

Tom-Tom et Nana : abracada... boum !

184-9

Mon équipe de rugby! Treize clients d'un coup!

Avouez que je vous gâte, hein?
Pffff!
Zut alors, on s'est trompés!
Pourtant on dirait vraiment Kriss de Banane...
FIN

La sauce Paradis

Vite, les gouttes pour dormir!
Tout de suite docteur!
COTON

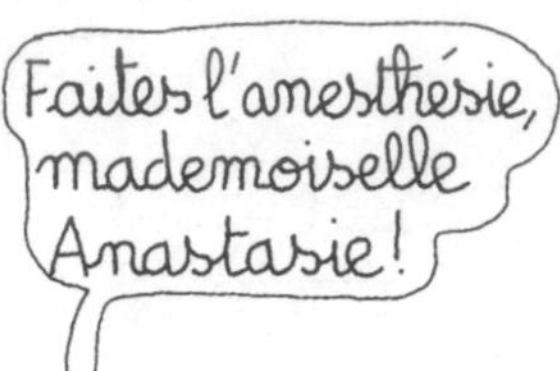
Faites l'anesthésie, mademoiselle Anastasie!

GOUTTES POUR DORMIR

Tom-Tom, Nana! Qu'est-ce que vous fabriquez?
Zut! Marie-Lou!
On remballe tout!!!
COTON

Grouille-toi, elle arrive!

Qui a fouillé dans la pharmacie?
C'est pas nous!
On n'a rien pris!
COTON

Tom-Tom et Nana : abracada... boum!

Une, deux, trois bonnes cuillerées !
Euh... Pap...
Chut !

Et voilà la sauce qui me rendra célèbre !

Quel nom lui donner ?
Ben... La sauce pas...
La sauce rat...

La sauce Paradis !

Signée Adrien Dubouchon, roi des sauciers !

Tom-Tom et Nana : abracada... boum !

Mon Dieu!
Il est mort!
Votre sauce paradis l'a envoyé dans l'autre monde!
Aïe, aïe, aïe!

Ne dites pas de bêtises! Il ronfle!
Ron rrron... psch...!

Mais qu'est-ce qui s'est passé?

Qu'est-ce qu'elle a, ma sauce?
Bonne question!

Tom-Tom et Nana : abracada... boum !

Tu as pris ça pour de l'eau de vie !

Mes gouttes !! Qui les a mises dans la cuisine ?

Eux ! J'en suis sûre ! Ils ont joué avec !
Euh ... non... oui ... peut-être !

Bandits !

Je vais vous tuer !
Nooon !
Un drame, ça suffit pour la journée !

Tom-Tom et Nana : abracada... boum!

Ô bonheur ! Ô merveille ! Dites-moi tout !

J'ai cru manger du rêve !
RADIO CASSE-ROLE

Donnez-moi cette recette !!!
Non ! Non ! Finalement je la garde pour moi !
Tenez bon, Dubouchon !
FIN
Pas la peine d'en faire une maladie !
Tout s'arrange !